Der Räuber Hotzenplotz
und die Mondrakete

Otfried Preußler, geboren 1923 im nordböhmischen Reichenberg, lebte von 1949 bis zu seinem Tod 2013 in Oberbayern. Sein erstes Buch, *Der kleine Wassermann*, schrieb Otfried Preußler 1956. Seither hat er über 35 Bücher geschrieben, die in mehr als 50 Sprachen übersetzt wurden und für die er viele Preise und Auszeichnungen erhalten hat. Weltweit wurden über 50 Millionen Exemplare seiner Bücher verkauft.

Mehr über das Werk Otfried Preußlers auf: www.preussler.de
Mehr über unsere Bücher, Autoren und Illustratoren auf: www.thienemann.de

Preußler, Otfried:
Der Räuber Hotzenplotz und die Mondrakete
ISBN 978 3 522 18510 3

Text © Erzählt von Susanne Preußler-Bitsch nach einem Puppenspiel von Otfried Preußler, unter Mitarbeit von Katharina von Savigny. 1967 in der Puppenspiel-Version veröffentlicht als „Die Fahrt zum Mond" im Sammelband „Vater Mond darf nicht krank sein/Puppenspiele Band 9" im K. Thienemanns Verlag, Stuttgart
Gesamtgestaltung: Thorsten Saleina, nach Motiven von J. F. Tripp
Einbandtypografie: Doris Grüniger
Innentypografie: Bettina Wahl
Reproduktion: HKS-artmedia, Leinfelden-Echterdingen
Druck und Bindung: Livonia Print. Riga

© 2018 Thienemann
in der Thienemann-Esslinger Verlag GmbH, Stuttgart
Printed in Latvia. Alle Rechte vorbehalten.
7. Auflage 2018

Otfried Preußler

Der Räuber Hotzenplotz
und die Mondrakete

Mit Bildern von Thorsten Saleina

Thienemann

Was einmal klappt,
klappt auch ein zweites Mal!

Einmal saß Kasperls Großmutter am Tisch in ihrer Küche und las in alten Zeitungen. »Berüchtigter Räuber endlich gefasst!« stand auf einer der Titelseiten. »Unsere Stadt ist wieder sicher: Hotzenplotz sitzt im alten Spritzenhaus der Feuerwehr und sieht seiner gerechten Strafe entgegen.«

»Wie gut«, seufzte die Großmutter erleichtert, »dass dieser Halunke hinter Schloss und Riegel sitzt. Man ist sich ja seines Lebens nicht sicher, solange der frei rumläuft.«

Während sie die Zeitungen zusammenlegte, schaute Kasperl zur Tür herein: »Großmutter, wann gibt's was zum Essen? Ich hab einen Mordshunger!«

»Na, da musst du schon noch ein bisserl warten! Ich weiß ja noch nicht einmal, was ich kochen soll!«, sagte die Großmutter.

Kasperl musste nicht lang überlegen. »Wie wär's mit

einer Schwammerlsuppe? Mit viel Speck und Zwiebeln und einem großen Löffel Rahm. Und einem Dutzend runder Knödel!«

Großmutter gefiel der Vorschlag. Doch zuvor, meinte sie, müssten Kasperl und sein Freund Seppel erst einmal die Pilze für die Suppe im Wald suchen gehen.

Schwammerlsuppe mit Knödeln mochten die beiden Buben fürs Leben gern. Aber die Schwammerl suchen fast noch mehr. Kasperl wollte gleich los, den Seppel holen. Der hatte sich zu einem kurzen Schläfchen in Großmutters Garten verzogen. Beim Hinauslaufen wäre Kasperl beinahe mit dem Wachtmeister Dimpfelmoser zusammengerumpelt, der gerade herbeigeeilt kam und rief: »Halt! Im Namen des Gesetzes! Keiner darf das Haus verlassen!«

»Aber Herr Wachtmeister Dimpfelmoser, ich bin's doch, der Kasperl! Warum denn so aufgeregt?«

»Aufgeregt?«, erwiderte der Wachtmeister und stellte sich breitbeinig in den Türrahmen: »Wer ist hier aufgeregt? Ich vielleicht? Unsinn!«

Kasperl lachte: »Da haben Sie aber recht, Herr Wachtmeister! Was Sie da verlangen, ist glatter Unsinn.« Und schon drängte er an ihm vorbei zur Tür hinaus: »Wieso soll ich im Haus bleiben? Der Seppel und ich, wir müssen doch Pilze suchen. Für Großmutters Schwammerlsuppe. Ich muss den Faulpelz nur schnell wecken.«

Wachtmeister Dimpfelmoser wischte sich über die schweißnasse Stirn: »Ich bitte dich, Kasperl, glaub mir und geh auf der Stelle ins Haus!« Dann brüllte er los: »Oder wollt ihr vielleicht, dass euch der Räuber Hotzenplotz packt und in seinen Sack steckt?«

Kasperl blieb wie angewurzelt stehen: »Der Räuber Hotzenplotz? Aber Herr Wachtmeister Dimpfelmoser, der

sitzt doch seit vierzehn Tagen im alten Spritzenhaus! Wissen Sie das nicht mehr?«

»Und ob ich das weiß!«, ereiferte sich der Wachtmeister. »Natürlich weiß ich das! Ich habe ihn ja vor vierzehn Tagen eigenhändig dort eingesperrt. Ich weiß aber leider auch … Ich weiß …« Der Wachtmeister geriet ins Stocken. »Also kurz und gut: Er ist ausgerissen!«

Kasperl sah ihn ungläubig an, und Großmutter rief erschrocken: »Was?! Der Räuber Hotzenplotz?!! Ausgerissen?!!!«

»Ja doch, ja! Aus dem Spritzenhaus. Vor einer halben

Stunde – und fünf Minuten«, stammelte der Wachtmeister, »und deshalb müssen alle sofort ins Haus!«

Dann straffte er sich und rückte seinen Helm gerade: »Das ist eine amtliche, polizeiliche Anordnung! Denn jedermann weiß: Dieser Hotzenplotz ist der gefährlichste Räuber im ganzen Landkreis!«

Kasperl tippte ihm auf die Schulter: »Aber deshalb müssen Sie uns doch nicht ins Haus schicken, Herr Wachtmeister! Da wüsste ich etwas viel Besseres …«

»Nämlich?«

»Wir werden den Räuber Hotzenplotz wieder einfangen.«

Dimpfelmoser schaute ihn mit großen Augen an: »Wer – wir?«

»Na wir, der Seppel und ich!«

Wachtmeister Dimpfelmoser schüttelte den Kopf: »Also, ich weiß nicht, ich weiß nicht … Wenn da was schiefgeht?«

»Ach was, Herr Wachtmeister!«, entgegnete ihm der Kasperl. »Da geht ganz gewiss nichts schief, darauf können Sie sich verlassen. Ehrenwort!«

»Großes Ehrenwort?«

»Ganz großes Extra-Ehrenwort. Sie wissen doch, dass wir die besten Räuber-Fänger sind.«

Wachtmeister Dimpfelmoser strich sich über den Schnurrbart und überlegte: »Na, dann muss ich es wohl erlauben. Aber seid vorsichtig, hört ihr! Und falls ihr mich brauchen solltet: Ich bin bis abends um sechs auf der Polizeiwache.«

Großmutter hatte alles mit angehört. Blass im Gesicht rief sie erschrocken: »Um Himmels willen«, und schlug die Hände über den Kopf, »das ist doch viel zu gefährlich für euch! Das werdet ihr schön bleiben lassen!«

Aber Kasperl beruhigte sie. »Ach Großmutter, das schaffen wir schon. Was einmal geklappt hat, klappt auch ein zweites Mal!«

»Und was soll ich dann heute kochen?«, entgegnete sie

und wollte ihn aufhalten. »Ohne Pilze gibt's auch keine Schwammerlsuppe …!«

Doch Kasperl war schon aus dem Haus in den Garten gerannt und rief: »Seppel, Seppel! Hörst du mich? Seppel!«

Aus der Gartenlaube kam eine mürrische Stimme: »Ich hör nix! Ich bin nicht da! Und außerdem schlafe ich!«

»Dann wach auf, Seppel! Aber schnell, es ist furchtbar wichtig!«

Seppel steckte den Kopf zum Fenster heraus und brummte: »Ach so, Kasperl, du bist's! Was ist denn los?«

»Stell dir vor, Seppel, der Räuber Hotzenplotz ist aus dem Spritzenhaus ausgerissen!«

Seppel rieb sich die Augen: »Nicht möglich!«

»Doch, vor einer halben Stunde und sieben Minuten!«

Sofort war Seppel hellwach und lehnte sich aus dem Fenster: »Donnerwetter! Wie hat er denn das geschafft?«

»Das weiß ich nicht. Ich weiß nur, dass wir ihn wieder einfangen müssen.«

»Wir beide?«

»Wir beide!«

»Abgemacht, Kasperl, ich komme mit. Der Polizei muss geholfen werden: Wir fangen den Räuber Hotzenplotz!«, bekräftigte Seppel und fügte verärgert hinzu: »Aber weißt du, dass dieser Kerl ausgerechnet ausreißen muss, wenn ich ein Schläfchen halte, das finde ich unerhört! Den könnte ich auf den Mond schießen!«

»Auf den ... Mond schießen?«, fragte Kasperl.

»Ja, auf den Mond schießen!«, schimpfte Seppel und verschwand im Häuschen.

»Auf den Mond schießen, auf den Mond schießen ...« Kasperl fing an zu lachen. »Ach Seppel! Du bringst mich auf eine Idee! Wir werden den Räuber Hotzenplotz auf den ... Jawohl, das wird gehen ... das machen wir!«

»Warum lachst du denn?«, fragte Seppel, der herausgekommen war.

»Weil ich nun weiß, was wir tun müssen!«

»Und was ist das?«

»Du wirst es gleich merken, Seppel. Komm mit!«

Gemeinsam holten sie leere Kartons, einen Topf Kleister und silberfarbenes Klebeband aus Großmutters Keller und schleppten alles in den Garten.

Mit dem Kleister klebten sie zuerst die einzelnen Kartonteile zu einem großen Stück zusammen und das große Stück zu einer dicken Rolle.

»Und nun?«, fragte Seppel, als sie damit fertig waren.

»Nun musst du die Papprolle mit dem silbernen Band ganz umwickeln, Seppel! So fest du kannst!«

Sofort machte sich Seppel an die Arbeit. Doch das war gar nicht so einfach: Das Zeug pappte nicht nur an der Rolle fest, sondern wickelte sich um seine Hände, blieb an seinen Kleidern, ja sogar in seinen Haaren hängen. Verflixt noch mal, das war harte Arbeit und schwierig obendrein!

Aber Seppel biss die Zähne zusammen und wickelte tapfer weiter, als sei er ein staatlich geprüfter Papprollenobereinwickler.

In der Zwischenzeit suchte Kasperl einen großen Pinsel und schwarze Farbe. Als er damit zurückkam, war Seppel mit der Wicklerei gerade fertig geworden.

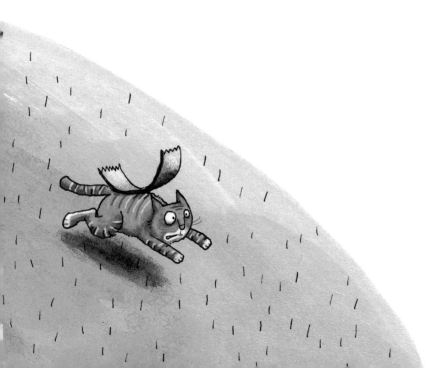

»So – nun lass mich mal ran!« Kasperl tauchte den Pinsel tief in die Farbe ein. Dann schrieb er zu Seppels grenzenlosem Erstaunen mit großen, schwarzen Buchstaben auf die Papprolle:

MONDRAKETE

Was bedeutete das nun wieder? Seppel zerbrach sich den Kopf. Aber vergeblich.

»Weißt du was?«, sagte Kasperl. »Anstatt hier dumm herumzuglotzen und Däumchen zu drehen, könntest du lieber den Handwagen aus dem Schuppen holen. Und gleich noch ein paar feste Stricke und einen alten Kartoffelsack.«

Seppel lief in den Schuppen und kam mit den Sachen zurück: »Einen noch älteren Sack habe ich leider nicht gefunden. Aber sag mal, Kasperl, was willst du denn eigentlich mit dem ganzen Zeug?«

»Na was wohl, lieber Seppel, damit werden wir den Räuber Hotzenplotz – auf den Mond schießen!«

Seppel starrte ihn ungläubig an: »Auf den … Mond? Mit der Papprolle und dem alten Kartoffelsack?!«

»Na ja, wir tun natürlich bloß so, verstehst du …?«

Seppel kratzte sich am Kopf: »Also ehrlich gesagt, das verstehe ich nicht. Das musst du mir schon ein bisschen genauer erklären.«

»Aber es ist doch ganz einfach! Wir zwei ziehen den Handwagen mit der Mondrakete hinaus zum Wald. Dort liegt Hotzenplotz bestimmt schon wieder auf der Lauer. Wenn er uns kommen sieht, dann …« Den Rest flüsterte er dem Seppel ins Ohr. Denn das musste geheim bleiben. Streng geheim!

Seppel lauschte angestrengt Kasperls Worten. Dabei wurde sein Grinsen immer breiter: »Das ist ja großartig, Kasperl! Das ist ja obergroßartig, Kasperl! So machen wir es!« Sie packten die Mondrakete auf den Handwagen, den alten Kartoffelsack und das Seil obendrauf und zogen los.

Als die beiden am Waldrand angelangt waren, schärfte Kasperl seinem Freund noch einmal ein: »Pass auf, Seppel! Von jetzt an reden wir ganz laut und nur Blödsinn, den reinsten Blödsinn! – So geht uns Hotzenplotz auf den Leim. Ist das klar?«

Seppel nickte eifrig.

»Schön, Seppel – dann also los!«

Das Leben eines Halunken

Der Räuber Hotzenplotz nahm es mit seinem Beruf sehr genau. Im Sommer stand er wochentags immer pünktlich um sechs Uhr auf. Spätestens um halb acht verließ er seine Räuberhöhle und legte sich auf die Lauer.

Auch nach seinem Ausbruch am Morgen machte er sich wieder auf den Weg zu seiner Arbeit. »Vierzehn Tage Spritzenhaus …«, schimpfte er vor sich hin. »Vierzehn Tage ohne Einnahmen …! Wenn das so weitergeht, muss ich mir einen anderen Beruf suchen …!« Dann hielt er kurz inne, »Und der werte Herr Wachtmeister kann sich auch gleich einen neuen suchen …!«, um gleich wieder weiterzuwettern: »Was denkt der Kerl sich eigentlich, mit wem er es hier zu tun hat?« Verärgert trat er gegen einen Stein. »Erst sperrt er mich tagelang ein und dann – Ha! – vergisst der Blödian, den Riegel am Tor zuzumachen.«

Hotzenplotz musste stehen bleiben, um seinem Ärger Luft zu machen. »Schließlich, verdammt noch mal, hat man als Räuber ja eine Ehre im Leib, nicht wahr? Heute früh, das war kein Ausbruch aus dem Spritzenhaus, das war ein …«, er schnaubte verächtlich, »… ein Spaziergang aus dem Spritzenhaus war das!«

Während er so vor sich hin murrte, kam er an einem Baum vorbei, an den ein handgeschriebener Aushang genagelt war.

Amtliche Bekanntmachung

Gesucht wird

Der Räuber Hotzenplotz

Gefährlichster Räuber im ganzen Landkreis

Besondere
Kennzeichen:

Schwarzer Räuberhut
mit langer Feder und
rotem Band, Stoppelbart.

Der Gesuchte ist schwer bewaffnet mit sieben
Messern, einem Säbel und einer Pfefferpistole.

An alle Personen, die in der Lage sind, zweck-
dienliche Hinweise zu geben, ergeht hiermit die
Polizeiliche Aufforderung, unverzüglich
bei Wachtmeister A. Dimpfelmoser

Meldung zu machen

Hotzenplotz las neugierig den Zettel, dann brummte er: »Na ja, besonders gut hat mich dieser A. Dimpfelmeister ja nicht getroffen! Aber immerhin, ich bin der gefährlichste Räuber im ganzen Landkreis!«

Ein Grinsen ging über sein Gesicht: »Hö-Hö-Hö!«, lachte er vor sich hin. »Den alten Steckbrief kann dieser Wachtmoser ja gleich hängen lassen …!«

Seine Waffen hatte ihm Wachtmeister Dimpfelmoser bei der Festnahme zwar abgenommen – und die sieben Messer und den Säbel auf der Polizeiwache weggesperrt. Die Pfefferpistole aber hatte er auf der Werkbank im Spritzenhaus vergessen. Hotzenplotz hatte sie bei seinem Ausbruch einfach mitgenommen. Zur Not konnte er auch nur damit arbeiten.

Endlich kam er am Waldrand an. Sofort bezog er hinter den Ginsterbüschen seinen gewohnten Posten. Die Sonne schien ihm auf den Kopf, eine Fliege summte um seinen Hut. Er war plötzlich so müde. Um nicht versehentlich einzuschlafen, nahm er von Zeit zu Zeit eine Prise Schnupftabak. Aber auch der half nicht: »Vierzehn Tage bei Wasser und Brot im Spritzenhaus, das ist eben keine Kleinigkeit. Ich glaub, ich leg mich erst mal ein bisschen aufs Ohr, bevor ich mich wieder an die Arbeit mache.« Er schaute sich um. »Dort drüben hinter den Büschen, das scheint mir ein guter Platz zu sein …«

Kurze Zeit später hörte man ihn laut schnarchen. Er schnarchte so laut, dass selbst die Bäume mit den Zweigen im Takt wackelten. Die beiden Freunde, die mit ihrem Handwagen auf dem Weg daherkamen, bemerkte er nicht.

Ganz viel Siiiiiiiiiilber

Hotzenplotz war gerade herrlich am Träumen. Er sah sich durch ein prächtiges Schloss wandeln und zu einer großen Schatztruhe gehen, die randvoll mit Edelsteinen und Goldtalern gefüllt war.

Neben der Truhe stand der Wachtmeister Dimpfelmoser. Er trug eine geblümte Kittelschürze über seiner Uniform, die Füße steckten in rosa Pantoffeln und er winkte ihm zu. Aber nicht mit seinem Säbel, sondern mit einem riesengroßen Kochlöffel. »Bedienen Sie sich nur, werter Herr Räuber. Das alles hier gehört Ihnen!«

Das ließ sich Hotzenplotz nicht zweimal sagen und wollte gerade mit beiden Händen in die Truhe greifen, als er mit einem Ruck aus dem Schlaf hochschreckte.

»Zum Donnerwetter aber auch! Wer schreit denn da so rum?«, brummte er los und schaute verschlafen durch die

31

Büsche. Am Waldrand erblickte er zwei ihm wohlbekannte Gestalten. Sie zogen einen Handwagen mit einer großen silbernen Rolle darauf und stritten laut miteinander. Mit einem Schlag war der Räuber hellwach. Die zwei hatten ihm gerade noch gefehlt.

Der eine, es war der mit dem grünen Seppelhut auf dem Kopf, schrie auf einmal los: »Das könnte dir so passen, mein Lieber! Wenn hier jemand auf den Mond fliegt, dann ich!«

Der andere mit der roten Kasperlmütze keifte zurück: »Dass du dich bloß nicht täuschst! Es war ausgemacht, dass ich auf den Mond fliege! Und dabei bleibt es!«

Daraufhin Seppel noch lauter: »Ja, dass du das ganze Silber für dich allein behältst! Und wenn du dann als reicher Pinkel zurückkommst, hab ich das Nachsehen!«

Hotzenplotz traute seinen Ohren nicht. Er wäre am liebsten sofort losgestürmt. »Ruhig Blut«, ermahnte er sich und griff nach seiner Pfefferpistole.

Nun schrie Kasperl so laut, dass sich seine Stimme fast überschlug: »Was für Silber? Siiiiiilllber? Wovon redest du eigentlich?«

»Na, das weiß doch schließlich jedes Kind, dass der Mond durch und durch aus purem Siiiiiilllber ist. Das ist ja auch der Grund, weshalb du mit unserer Mondrakete hinaufwillst!«, schimpfte Seppel noch lauter und griff nach dem Ding auf dem Handwagen.

Nun brüllte Kasperl aus Leibeskräften: »Ich geb dir die Hälfte davon ab, wenn ich zurückkomme. Ehrenwort! Aber jetzt lass mich endlich einsteigen und das Siiiiiilllber holen!«

Doch Seppel blieb stur: »Nein, in die Rakete steige ich ein!«

Dann begann ein wildes Gerangel und Gezanke: »Nein, ich!«, schrie der eine. »Nein, ich, nein, ich!«, schrie der andere …

Es wäre sicherlich mit den beiden noch eine ganze Weile so weitergegangen, wenn nicht plötzlich Hotzenplotz mit vorgehaltener Pfefferpistole aus dem Gebüsch gesprungen wäre: »Halt! Auseinander! Und hübsch die Hände hoch! Ha!, damit habt ihr wohl nicht gerechnet, wie? – Aber so geht es nun mal im Leben. Unverhofft kommt oft, wie die Leute sagen.« Dann schaute er sich den Handwagen näher an: »So, so – ihr habt also eine Mondrakete gebaut?«

»Was?«, stammelte Kasperl, noch ganz außer Atem: »Ei-ne … eine Mondrakete? Nein, da müssen Sie sich verhört haben!«

Hotzenplotz lachte nur: »Redet euch nicht heraus, ich hab alles genau gehört! Ihr wollt also mit der Rakete da auf den Mond fliegen, um eine Ladung Silber zu holen?«

Er drehte die Rolle auf dem Wagen so herum, dass die Aufschrift zu lesen war.

»Da steht es doch: M O N D R A K E T E«

»Ja, eigentlich haben Sie doch ziemlich recht«, gab Kasperl kleinlaut zu.

»Wir streiten uns bloß noch darum, ob der Kasperl hinauffliegt oder ich«, sagte Seppel. »Aber vielleicht könnten Sie uns ja helfen, das zu entscheiden …«

Hotzenplotz grinste: »Mit dem größten Vergnügen! Wisst ihr, wer auf den Mond fliegt und sich das Silber holen wird?« Kasperl und Seppel schüttelten die Köpfe.

»Nein? Na dann denkt doch einmal scharf nach …!«

»Sie?«, fragte Kasperl nach einer Weile. Hotzenplotz nickte heftig.

»Aber … Ihnen gehört die Rakete doch gar nicht!«, entrüstete sich Seppel.

Hotzenplotz hob nur seine Pfefferpistole: »Ist das so wichtig? – Na, wird's bald?«

Erschrocken wichen die beiden zurück: »Um Himmels willen, stecken Sie bloß das Ding weg! Wenn das losgeht …«

»Das wird losgehen, wenn ihr nicht genau das tut, was ich von euch verlange.«

»Und … was verlangen Sie von uns?«, stammelte Kasperl.

»Dass ihr mich mit der Rakete hier auf den Mond schießt! Ist das klar?«

»Na ja, wenn Sie unbedingt wollen …«, meinte Seppel und Kasperl hob den Kartoffelsack in die Höhe: »Aber dazu brauchen Sie auf alle Fälle einen Raumanzug.«

»Einen – was?«

»Einen Raumanzug. Warten Sie, wir helfen Ihnen hinein. Komm, Seppel, pack mit an!«

Gemeinsam versuchten sie Hotzenplotz den Kartoffelsack überzustreifen. Ein schwieriges Unterfangen, denn der Räuber war groß und breit und die beiden mühten sich sehr, bis endlich der Sack über den Räuberschädel samt Räuberhut hinunter zu den Räuberfüßen gezogen war.

Kaum hatten sie es geschafft, fing Hotzenplotz zu schimpfen an: »Das ist aber verdammt finster hier drin!«

»Das ist bloß am Anfang so«, erklärte ihm Seppel, »daran gewöhnt man sich mit der Zeit.«

Und Kasperl ergänzte: »So, und jetzt werden Sie mit der Sicherheitsleine angeschnallt!«

Daraufhin begann er Hotzenplotz mit dem langen Strick zu umwickeln. Seppel half tüchtig mit. Das Seil in den Händen rannten sie um den Räuber herum und redeten ihm gut zu. »Schön stillhalten, Herr Hotzenplotz! Die Sicherheitsleine muss fest anliegen, damit Ihnen bei der Mondfahrt nichts geschieht!«

Hotzenplotz polterte los: »Oh verflucht, das tut aber weh! Was macht ihr denn, zum Donnerwetter?«

Seppel beruhigte ihn: »Das muss sein, Herr Hotzenplotz, das gehört dazu und erhöht Ihre Sicherheit!«

Den beiden fiel es furchtbar schwer, nicht laut loszulachen. Doch Kasperl blieb ernst: »So, und nun bewegen Sie mal die Arme!«

»Das kann ich nicht.«

»Wirklich nicht?«, fragte Seppel. »Und wenn Sie sich große Mühe geben?« Hotzenplotz strengte sich mächtig an. Trotzdem gelang es ihm nicht, die Arme zu rühren. »Ist das so richtig?«, wollte Hotzenplotz wissen.

»Ja«, sagte Kasperl. »So ist es richtig! Und nun in die Rakete mit Ihnen!«

Schnell hoben sie die Papprolle hoch und versuchten, sie über den verschnürten Räuber zu ziehen. Doch Hotzenplotz wackelte so umher, dass sie es beim besten Willen nicht schafften.

»Wenn Sie nicht stillhalten, Herr Hotzenplotz, dann geht das nicht!«, schimpfte Seppel.

Der fuhr sie nur an: »Jetzt macht endlich, dass ihr fertig werdet! So schwer kann das doch nicht sein!«

Nach einigen Versuchen klopfte Kasperl dem Räuber auf die Schulter: »Es wird wohl das Beste sein, Herr Hotzenplotz, Sie legen sich hin.«

Und Seppel munterte ihn auf: »So schaffen wir es! So wird's gehen!«.

Hotzenplotz protestierte, ließ sich dann aber trotzdem auf den Boden sinken. Mit vereinten Kräften versuchten die beiden nun den Räuber in die Mondrakete zu stopfen. Aber auch das gelang ihnen nicht. Wie er da rücklings auf dem Boden lag und mit den Füßen zappelte, sah er zu komisch aus. Kasperl und Seppel konnten nur noch mit größter Mühe das Lachen unterdrücken.

Zu guter Letzt stellten sie ihn wieder hin, Kasperl kletterte
auf den Handwagen und stülpte Hotzenplotz die Rolle
von oben über den Kopf, während Seppel von unten zog,
bis schließlich nur noch die Räuberfüße herausschauten.

»Na, wie fühlen Sie sich an Bord unserer Mondrakete?«, fragte Kasperl, der sich vor Lachen fast nicht mehr halten konnte.

»Ekelhaft eng ist das Ding! Die reinste Zwangsjacke!«, brummte es aus der Rolle heraus.

»Fabelhaft!«, jubelte Seppel und umarmte seinen Freund.

»Habt ihr etwas gesagt?«, wollte Hotzenplotz wissen.

»Ach, der Seppel hat bloß gemeint, dass alles in bester Ordnung ist. Sollen wir die Rakete nun starten?«

»Je schneller, desto besser!«, befahl der Räuber.

»Zum Start müssen Sie jetzt auf die Abschussrampe«, erklärte Kasperl.

»Was soll denn das nun wieder heißen?«, raunzte es aus der Rolle. »Ihr sollt mich auf den Mond schießen! Und zwar heute noch, zum Donnerwetter!«

»Das machen wir auch, Herr Hotzenplotz«, beruhigte ihn der Kasperl.

»Aber dazu müssen Sie erst einmal auf die Startrampe, damit wir Sie hochschießen können«, erklärte Seppel.

Gemeinsam hievten sie die Mondrakete samt Hotzenplotz auf den alten Leiterwagen. Schwer wie ein Sack Kartoffeln plumpste der alte Bösewicht auf den Karren.

»Also gut, dann fangen wir nun mit dem Herunterzählen an«, sagte Kasperl.

In der Rolle rumpelte es: »Mit dem … was?«

»Mit dem Herunterzählen!«, kam prompt die Antwort.
»Wir zählen jetzt von zehn bis null, der Kasperl und ich.
Und bei null werden Sie mit der Rakete abgeschossen.«

Und Kasperl rief laut: »Aufgepasst, es geht los!«

Abwechselnd begannen sie nun zu zählen: »Zehn –
neun – acht – fünf …«

»Halt! Da stimmt was nicht, Seppel«, unterbrach Kasperl. »Noch mal von vorn.«

»He, he, he! Was soll denn das? Könnt ihr nicht einmal richtig zählen?«, schimpfte es aus der Papprakete.

»Doch, doch, Herr Hotzenplotz – gleich geht's los. Seppel, du bist dran.«

»Also gut: Bei null, nicht wahr?«, versicherte sich der Seppel und grinste den Kasperl an. »Ja? Dann fang ich jetzt bei null an! So geht es schneller.«

»Aber nein«, widersprach Kasperl, »das Herunterzählen heißt doch Herunterzählen und nicht Heraufzählen!«

Sie brauchten noch eine ganze Weile. Mal gerieten dem Seppel die Zahlen durcheinander, mal dem Kasperl. Hotzenplotz wurde immer unruhiger und fluchte vor sich hin.

Endlich bei null angekommen, griffen beide die Deichsel

des Leiterwagens und zogen ihn im Eiltempo über den holprigen Waldweg. Die Mondrakete samt Hotzenplotz kam dabei heftig ins Wanken.

»He, he, he! Was ist denn jetzt los?«, schimpfte der Räuber. »Könnt ihr nicht etwas vorsichtiger sein?«

»Das geht leider nicht, Herr Hopsenklotz!«, rief Kasperl.

»Denn so eine Mondfahrt, verehrter Herr Rotzenkopf, ist eine unruhige Sache …«, ergänzte Seppel lachend.

»Wie redet ihr mit mir? Ihr Rotzbengel!«, brüllte es aus der Papprolle. »Halt! Sofort anhalten! Was bedeutet denn das?!«

Die beiden bogen sich nun vor Lachen: »Das bedeutet, dass Sie ein großer Esel sind, Sie komischer Mondfahrer!«

»Lasst mich hier raus, zum Teufel!«, schrie Hotzenplotz. »Lasst mich hier auf der Stelle raus! Oder ihr werdet mich kennenlernen!«

Doch die beiden ließen sich nicht einschüchtern: »Das könnte Ihnen so passen, werter Herr Plotzenkotz! Aber da wird nichts draus!«

Mit Karacho zogen sie weiter und ließen den Handwagen über große Wurzeln rumpeln. Hotzenplotz wurde gewaltig durchgeschüttelt und tobte vor sich hin. »Lasst mich hier raus! Oh, ihr verdammtes Lumpenpack! Das wird euch noch leidtun …!«

Aber was half alles Schimpfen und Schreien? Es half gar nichts! Ein lustiges Lied um das andere pfeifend marschierten die Freunde heimwärts. Zum Schluss ging es bergab. Voll Übermut setzten sich Kasperl und Seppel auf die Mondrakete und donnerten mit ihrer Ladung hinunter. Ein paar Mal drohte der Handwagen umzukippen und bekam gefährliche Seitenlage.

Doch die beiden Freunde jubelten vor sich hin und genossen ihre Fahrt. »Eine Mondfahrt, die ist lustig! Eine Mondfahrt, die ist schön! Mag der Räuber noch so fluchen, nie wird er das Silber sehn!«

Ab ins Pfefferland ...!

Ganz außer Atem erreichten sie schließlich die Polizeiwache. Laut riefen sie nach dem Wachtmeister Dimpfelmoser. Der stürmte mit gezogenem Säbel aus der Amts-
stube: »Was ist hier los? Wer ruft da die Polizei? – Ah, ihr
seid's, Kasperl und Seppel! Ich dachte, ihr wolltet den Räuber Hotzenplotz fangen?«

»Das haben wir auch!« Stolz zeigten beide auf den Handwagen. »Da ist er, bitte sehr!«

Der Wachtmeister schüttelte den Kopf: »Wo ist er? Ich
sehe ihn nicht!«

Kasperl deutete auf die Papprolle: »Na, er steckt hier
drin!«

»In der Papprolle?«, fragte der Wachtmeister. Dann bekam er einen Wutanfall. »Ihr wollt mich wohl veräppeln?
Ich bin eine Amtsperson! Macht eure blöden Späße mit

wem ihr wollt, aber nicht mit mir! Und schafft mir das alberne Ding sofort hier weg!«

Da tönte es dumpf aus der Rolle: »Unsinn! Das ist eine Mondrakete! Und nun macht schon. Ich will nicht ewig hier drinnen stecken …«

Wachtmeister Dimpfelmoser verstand gar nichts, bis Seppel auf die Mondrakete klopfte: »Da befinden Sie sich leider im Irrtum, Herr Hotzenplotz! Sie stecken nämlich wirklich in einer Papprolle!«

Kasperl lachte: »Und Sie, Herr Wachtmeister Dimpfelmoser, können den Räuber Hotzenplotz gleich so zur Post bringen und ins Pfefferland schicken.«

»Dann sind wir ihn endlich los!«, sagte Seppel.

»Und aus dem Spritzenhaus ausreißen kann er dann auch nicht mehr«, fügte Kasperl hinzu, und gemeinsam riefen sie: »Ab, zur Post mit ihm! Zur Post mit ihm!«

Allmählich begann es Wachtmeister Dimpfelmoser zu dämmern, was hier los war. In der Silberrolle steckte wirklich der Räuber Hotzenplotz! Kaum zu glauben! Unten schauten sogar seine haarigen Füße raus.

»Na, zum Donnerwetter aber auch, ihr beide habt tatsächlich den Räuber Hotzenplotz gefangen!?«

Und dann fing der Wachtmeister Dimpfelmoser an zu lachen, dass er beinahe nicht mehr aufhören konnte. Und Kasperl und Seppel lachten mit, bis ihnen die Bäuche wehtaten.

In der allgemeinen Freude ging völlig unter, dass der Räuber in seiner Papprolle brüllte: »Lasst mich raus! Ich mag nicht ins Pfefferland! Lasst mich sofort raus! Ich will nicht ins Pfefferland!«

Doch es nützte ihm alles nichts! Der Wachtmeister Dimpfelmoser klopfte mit dem Säbel energisch auf die Rolle: »Du bist ganz still da drin! Merk dir das!«, und zu den beiden Freunden sagte er: »Wir bringen den Halunken aber nicht zur Post und schicken ihn ins Pfefferland, sondern schaffen ihn in die Kreisstadt ins Gefängnis! Kommt ihr mit, Kasperl und Seppel?«

Mit gestrenger Amtsmiene zog nun Wachtmeister
Dimpfelmoser höchstpersönlich den Handwagen mit der
schimpfenden Fracht in die Stadt. Kasperl und Seppel
begleiteten ihn. Und die Leute kamen ringsum aus ihren
Häusern gelaufen und gratulierten ihrem tüchtigen Wacht-

meister. »Bravo, Herr Wachtmeister!«, riefen sie begeistert. »Endlich ist der Schurke wieder gefasst!« und »Ab ins Gefängnis mit dem Bösewicht!«

Nachdem sie den Räuber sicher abgeliefert hatten, ging der Wachtmeister mit Kasperl und Seppel nach Hause, wo Großmutter schon mit dem Essen wartete. Als sie eintraten, war das Häuschen von einem herrlichen Duft erfüllt.

»Großmutter!«, staunte Kasperl. »Gibt's heute doch Schwammerlsuppe …? Aber wo hast du denn die Schwammerl her?«

»Nun ja«, schmunzelte Großmutter. »Ich hab ein paar wunderschöne Rotkappen unter den Birken im Garten gefunden …«

In der Wohnstube war schon gedeckt. Für Herrn Wachtmeister Dimpfelmoser stand sogar ein Glas Wein bereit. Großmutter trug die Suppe auf und eine Schüssel mit zwei Dutzend großer runder Knödel. Das Festmahl konnte beginnen.

Kasperl und Seppel mussten den beiden von ihrem Abenteuer berichten.

58

»Und dann ist der Hotzenplotz mit der Pfefferpistole aus den Büschen gesprungen!«, erzählte Seppel, den Mund voller Knödel.

»Aber wir«, meinte Kasperl und schluckte hastig einen Löffel Suppe hinunter, »wir haben uns gar nicht gefürchtet! Wir haben ihm immerzu von der Mondrakete erzählt.«

Großmutter rief »Haarsträubend!«, immer wieder nur: »Haarsträubend!«

Und Wachtmeister Dimpfelmoser klopfte den beiden abwechselnd auf die Schulter: »Respekt!«, rief er, immer wieder: »Respekt!«

Zum Schluss hatten alle rote Ohren vom Zuhören. Wachtmeister Dimpfelmoser hob sein Glas und rief: »Prost! Auf alle, die mir geholfen haben, den gefährlichen Räuber Hotzenplotz wieder einzufangen!«

»Prosit!«, rief Kasperl, – und »Prosit!«, rief Seppel, und sie hoben augenzwinkernd ihre Saftbecher. Dann aßen die beiden Knödel mit Schwammerlsuppe, bis sie Bauchweh bekamen, und waren so glücklich, dass sie mit keinem Menschen getauscht hätten – nicht einmal mit dem Mann im Mond.

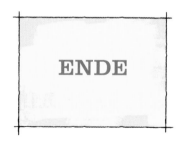

ENDE

Her mit den Rätseln!

Otfried Preußler · F.J. Tripp · Mathias Weber
**Mein großes Räuber Hotzenplotz
Rätselbuch**

128 Seiten · Broschiert
ISBN 978-3-522-18504-2

Potz Schwefel – mit diesem Rätselbuch kommt garantiert keine Langeweile auf. In über 100 kniffligen Räuberrätseln können Kinder Bilderpaare finden, Irrgärten durchqueren, Bilder
ausmalen, Puzzleteile ergänzen und Schattenbilder zuordnen.
Damit beim Rätseln garantiert niemand stört, gibt's das original
Hotzenplotz-Türschild und einen furchteinflößenden Räuber-
bart zum Ausschneiden gleich dazu!

THIENEMANN
Wir schreiben Geschichten!

www.thienemann.de

Alle Tipps und Tricks zum Räuberleben!

Martin Verg · Thorsten Saleina
Das streng geheime Räuberhandbuch

160 Seiten · Gebunden
ISBN 978-3-522-18505-9

Wie wird man eigentlich ein richtiger Räuber? Indem man das Einmaleins des Räuberseins vom berühmtesten aller Räuber lernt natürlich, dem Räuber Hotzenplotz. Wie man jemandem auflauert, wie man Fallen stellt, ein Lager für die Nacht baut, Feuer macht und Knoten bindet – all das und noch viel mehr steht in diesem Buch. Und das Beste daran: Der Räuber Hotzenplotz verrät sogar seine allergeheimsten Tricks!

Figur des Räuber Hotzenplotz: nach einer Idee von Otfried Preußler und Illustrationen von F.J. Tripp.

THIENEMANN
Wir schreiben Geschichten!

www.thienemann.de

Mehr vom Räuber Hotzenplotz

Otfried Preußler
F.J. Tripp · Mathias Weber
Der Räuber Hotzenplotz

120 Seiten · Hardcover
ISBN 978-3-522-18319-2

Otfried Preußler
F.J. Tripp · Mathias Weber
Neues vom Räuber Hotzenplotz

128 Seiten · Hardcover
ISBN 978-3-522-18320-8

Otfried Preußler
F.J. Tripp · Mathias Weber
Hotzenplotz 3

120 Seiten · Hardcover
ISBN 978-3-522-18321-5

Wer diese Bücher nicht kennt, hat was verpasst. Denn auch hier macht der Räuber Hotzenplotz seinem Namen alle Ehre: Im ersten Band klaut er Großmutters Kaffeemühle, im zweiten entführt er sie sogar selbst und im dritten will er eigentlich seinen Räuberhut an den Nagel hängen, aber das klappt nicht so richtig. Immer sind Kasperl und Seppel mit einer Idee zur Stelle. Doch einfach ist die Sache nie.
Die Klassiker von Otfried Preußler in Farbe.

THIENEMANN
Wir schreiben Geschichten!

www.thienemann.de